Ye Cannae Win

Monologues

for Alison, Catherine, Graham and Mary

duas tantum res anxius optat, panem et circenses
Juvenal – Atires No 10 1.80

Ye Cannae Win

Monologues

Janet Paisley

Chapman Publishing
2000

Chapman Publishing
4 Broughton Place
Edinburgh EH1 3RX
Scotland

The publisher acknowledges the financial
assistance of the Scottish Arts Council.

A catalogue record for this volume is
available from the British Library.
ISBN 0-906772-95-8

Chapman New Writing Series
Editor Joy Hendry
ISSN 0953-5306

Cover Design by Simon Fraser

The author would like to thank the SAC for the various
fellowships, bursaries and grants which helped over the
twenty year period which finally produced this volume.

Printed by
Inglis Allen
Middlfield Road, Falkirk FK2

Contents

And Is Cut Doon

Sarah: Furst He Says

Furst he says
staun up whin ah come in the room.
Nen he says
whey ur you hingin aboot sit doon.
Furst he says
speak when ye're spoken tae.
Nen he says
dinnae talk back.
Furst he says
born in a park wur ye shut the door.
Nen he says
leave that door alane we need some fresh air.
Furst he says
git a move oan bell's rung
ah'm 'titled tae ma break ye're too slow.
Nen he says
whaur dae ye fink you're gaun
did ah say ye could go?
Furst he says
git your milk drunk ye're makin it last aw day.
Nen he says
dinnae gulp there is nae need
tae consume yer milk in that noisy way.
Furst he says
git yer work done.
Nen he says
take this tae the heidie an hurry.
Nen he says
walk dinnae run.
Nen, whin ah taen ma jotter oot,
he sayd WHAT – IS – YOUR – NAME?
Ah sayd Sarah.
Bit he didnae waant tae ken.
Ah sayd please sir ah need the toilet.
He sayd WRONG!
Ah sayd please sir ah dae.
He sayd is that what you say – WELL?
Ah sayd *pleasesirahneedapee!*
Ah goat lines
– an ah wet masell.

Maggie: Word fae the Wise

Huv ye ever tried them ju-jitsu classes?
Ah went wance. Me an anither coupla lassies.
Ye want tae huv seen yon man, the muscles.
Black belt, fifth dan, an mean right enough.
Wan punishment machine but tough.
He hud us skelpin roon that hall fur hoors
daen jumpin jacks an bunny hops an a loat
ae bendin and stretchin that wis daen me harm.
An that wis jist tae git warum! Ah wis fur gaun
then ah heard him say somethin ah knew ah could dae.
"Noo touch yer toes." Easy money, doon ah goes.
"Right," says he. "This time wi yer nose". Nose,
nae joke. It gied me the boke doubled up oan that flair
wi aw they fowk there. Nen tryin tae choke
some bloke whit flung me oan the grund.
Ah said "Hey son, wait a meenut, that's no fair".
An ah goat him by the hair. Weel, he went spare.
Seems he'd jist hud it done, pricey and fancy.
Right wee nancy. Back it the front he wis shoutin again.
"Noo get yer airms oot. Oot till they burn."
Ah thocht he wis huvin a funny turn.
That's a laugh. It felt like ma airms wur comin aff.
"Keep thum richt oot till ye faw wi the pain."
Tell ye whit, ah'll no be gaun there again. Pain.
Ah mean tae say, ye kin git that at hame ony day.
Ah wis wastin ma time. Breckin ma spine'd be nae help
against muggers an rapists. So ah lit oot a yelp.
"Cancel ma subscription, this is nae fun.
Whin ah want protection ah'll go an buy a gun."
Well, that's whin muscles comes ower
(he coulda done wi a shower by this time)
an he says "So shoot me then. Come oan, hen".
Ah hudnae cocked ma finger an ah'm flyin.
See whin ah came doon, the hale hall wis gaun roon.
Says he, considerin, "Ye'll need tae learn hoo tae faw".
Learn tae faw! Ah wis struck dumb.
Thought that's whit hud happened whin the flair hit ma
bum.
So, if you fancy tryin it, a wurd fae the wise,
whitever else ye dae, dinnae criticise.

Sharleen: Ah'm Shy

Ah'm shy. Aye, ah am.
Cannae look naebody in the eye.
Ah've seen me go in a shoap
an jist hope naebody wid talk tae me.
Things that happen, likesae,
ye're oot fur a walk an some bloke
whit's nivir even spoke afore goes by
an he's givin ye the eye.
See me, ah jist waant tae die.
Ah go rid tae the roots ae ma hair.
Weel, it's no fair, is it?
Feel a right twit.
See ma Ma. She says it'll pass.
"Ye'll grow oot ae it, hen."
Aye, aw richt, bit when?
Ye kin git awfy fed up
bein the local beetroot.
So, last time ah went oot
– tae the disco –
ah bocht this white make-up.
White lightnin, it sayd.
Ah thocht, nae the beamers the night.
This stuff'll see me aw right.
Onywey, there ah wis, actin it.
Daen ma pale an intrestin bit.
White lightnin?
See unner them flashin lights –
it wis quite frightnin.
Cause ma face looked aw blue.
Och, see whin ah think ae it noo,
it wis mortifyin
cause they aw thocht ah wis dyin
an they dialled 999.
Fine thing tae be,
centre ae awbody's attention. Me.
They hud me sut oan this chair
bit whin they brocht strechers in
ah slid oantae the flair
an jist lay there.
Ah thocht, rule number wan,
whin ye've made a fool ae yersell

9

dinnae lit oan, play the gemme.
So ah let oot a groan an lay still

until this ambulance fella feels ma wrist
an then he gies ma neck a twist
an – ye'll no believe this –
bit right there an then,
he gies me a kiss.
Blew intae ma mooth, honest!
God'strewth, ah wis gaspin fur braith.
It jist goes tae show ye're no safe,
naeplace, these days.
Onywey, ah blew right back.
That made him move quick.
An he says "Ur you aw richt?
Ur ye gaun tae be sick?" Well then,
that's whin ah noticed his een.
They wur daurk broon
an starin right intae thum
made ma stomach go roon.
Ah felt kinda queer an he says
"c'mon hen, we'll get ye ootae here".
Bit ah made him take me right hame.
Though ah'm seein him again.
The morra. Aw the same,
how will ah tell him, dae ye suppose,
that whin ye kiss a lassie,
ye dinnae haud hur nose?

Anne: Who Needs a Boyfriend

So ah jist decided
who needs a boyfriend whin ye kin
blend intae the wallpaper
withoot yin; nae worries
aboot gettin kept in; bein
too thin; sin. Nae frettin
aboot gettin hame late,
creepin in quate; nae need
tae bleed if he disnae phone; nae tryin
tae fund some ither wey
tae say ah luv ye bit dae ye huv tae
go tae the fitba the nicht.
Nae worryin whin he's late that he's
furgoatin ye hud a date, ur gettin in
a wrist slashin, throat slittin
state whin it's done.
It's jist ma mates,
oot huvin fun, showin aff
rings an talkin aboot things like
THE BIG DAY
an whit thur gaun tae wear
an how it's different
whin ye've goat somebody
tae share yer life wi. It least
that's whit they say.
Ah dinnae care
aboot hearin ma ain feet
in the street at nicht,
or steyin in tae waash ma hair,
or sittin oan the stair dreamin
aboot whaur ah'm gaun, an sometimes
screamin aboot how ah'm feelin,
watchin ma life
waash doon the drain, wonderin whey
ah'm by masell, again.

Beth: Fishing

Something new. Guess that's what I'd like. I'm not used to – being on my own. Mother was – I nursed her. Well, looked after. I'm not a nurse. I was going to be a secretary. Had an interview once – the carpet in that room was 3 feet deep. Cream, pale cream. If you took your shoes off, they'd never be seen again. And fish. A whole wall – tropical fish. It was like, like being underwater in the light. Blue green orange – the colours. And the fins on those fish. Wings, oh I could have . . . But then mother . . . There was only me. I didn't mind, except – they were so . . . jewels, really. Coloured Angels behind glass. Oh I would've . . .

Well anyway, here I am, twenty five years on. Nothing's changed. And anyway, busy? You'd have to know mother to know how busy. I used to joke to myself there wasn't much wrong with her needs. They were able enough. Active enough for twenty folk. Now . . . she's gone. House is empty. Only me, rattling around. Thought I might get some fish. Mouths opening, closing. Don't say much, though. Company. I really would like some company.

No, listen. Just someone to talk to, that's all. Did have a date once. Funny the way it happened. A widower, he was. Used to come round Fridays on the fish van. Really chatty. Nice bit of halibut today, he'd say. Or – no, no, you want the sole this week – and a wee wink. To let me know he was friendly, like. Said he was a bingo caller Friday nights, said I should go along with him. Could hardly believe it when I heard myself saying yes.

When I told mother . . . no daughter of mine, she says. And, d'you know, I thought not this time. I'm going. Me. I went out and bought a new dress – blue, it was, all swirly. And some make-up – lipstick, stuff for round your eyes. Oh, I just loved that dress, the colour, the way it floated. Put the make-up on – I'd never done that before either. Guess it was a bit wobbly but, oh, I felt – well, special. I just swam out into the living-room. And mother – well, she laughed. Just curled up – poorless. Bingo, she said. Oh, have a ball.

I hid in the bathroom. Couldn't answer the doorbell. He went away. Eventually. So that was that. Guess mother was right, after all. But it's hard, isn't it. When you've been . . . I just don't know much about love – what it is, what to do even. Work, somebody said once love is work – what you do for people. Not – not what you say, or feel, or, or, think. What you do. Only work I ever did was taking care of mother. Love?

I'm supposed to say – about what I'm looking for. But how do you know – if it's something you've never had. What would I like – what I'd like is a new carpet in here. 3 feet deep. Someone to talk to. You should've seen those fish. Angels, really. Trapped behind glass.

Alice: Aw the Wey Through

Past it. He said ah wis past it
then he made a fast exit oot the door.
Couldnae huv made me feel ony lower.
Even said ah widnae raise a quid workin the street.
Och, it'd make ye greet.
An it's no as if ah need his say so.
Well – ah kin see fur masell.
Couldnae bump n'grind wi the boady ah've goat.
Widnae mind a shoat ae whit they page three's kin show aff.
An they laugh lines ur no, fur they've set oan ma face.
Ach, mibbe ah should jist age gracefully
steed ae lettin him get tae me.
Efter aw he wis nae spring chicken hissell.
Jist as well ah kin haud ma tongue
or ah micht've flung a few remarks masell
aboot beer bellies an smelly soaks
an the rubble lying aboot in whit he cawed 'designer stubble'.
Onywey, ah've seen aulder'n me gein it whit
at the sixties night doon the club.
Taen him tae roll oot the pub in time fur the last dance.
Some romance. Weel, that yin'll be the last.
Mibbe it hus taen a while bit ah'm learnin fast.
An ah widnae waant tae be sixteen again.
Ah wis stupit then – thocht aboot nuthin bit men.
Weel, nivir again, ah'll no bother gaun oot.
Jist cook masell somethin nice and settle doon wi a guid
    book.
Mills n' Boon.
At lease the fellas in them ken hoo tae sweet talk a wummin.
Aye, an they'd gie ye the pip.
Och, mibbe ah'll jist nip roon tae oor Jean's fur a blether.
Tell hur ah've feenished wi him aw thegither.
She ay said ah could dae better'n that.
Ken whit, she's nivir faur wrang.
See whin ah git gaun. Ah kin still turn heids.
Here, mibbe that's whit ah'm needin tae cheer me up.
A bit ae attention. Mibbe if ah mention the club tae oor Jean.
It's nivir too late doon there. Aye,
if ah soart ma hair, dae ma make-up, fund somethin tae wear
– somethin slinky, no too kinky, no too tough.
Right enough – ah'll show him.
Ah'm a wummin an ah know hoo tae strut ma stuff.

Howie: Buck-fasting

Aw ah says wis
giro didnae come, Treeze.
Gies me ma cairds, like.
The fuck aff dinnae come back
ma fuckin hoose heave-ho.
So ah says fair doos, Treeze,
ken whit the buroo's like.
Couldnae run a fag packet
flat wi a steam roller.
Wid ah be staunin here
nae swally if it'd come then?
Gies me the heavy, ken.
The hink ah'm believin at
nae mullah shit, pull the ither wan.

So ah says gies a brek, Treeze.
Ah'm straight doon err the morra,
get it sorted, get em telt, like.
Way roon the shop, see if ah cashed it,
ma word no guid enough, like.
Comes it wi the shady, ken,
still hinks ah'm pullin a fast yin.

So ah says moan, Treeze,
ah'm no pushin nuhin,
waant me tae fuckin go?
Mean, s'aw or nuhin, Treeze,
wid ah lie tae you?
Needae be daft, eh.
Needae be up gey early, eh?
Needae be a bit short
ae the aul grey matter.

Seen the Buckie in the hedge, like.
Gied me ma jotters, ken.

Valerie Baxter: You Could Run

I was at Moira's. My friend's. We – it was just like any other Tuesday. Just talking. You know. She came down to the corner. I get the bus at eleven. In Duke Street. She stays in Main Street, Moira. She came down to the corner. Like she always does. Tuesday. Then she went home. I walked to the bus stop. It was only minutes. To wait. I heard him coming. His feet. I'd only just got there. Maybe he'd been watching. I don't know. But – he wasn't hurrying. I thought, maybe he's going past. You know what it's like. At night. And Duke Street's quiet. I thought, he'll be somebody going home. I didn't look round. Well you don't, do you? I looked at my watch. Two, three minutes. I looked for the bus.

Then he stopped. Stopped walking. He was . . . right beside me. I told myself it's all right. He's going for the bus. That's all right. He was looking at me. I knew he was looking at me, I could feel it. Then he said – he said – he said, "Shoes". I can't do this, I can't.

Right, right. It was his voice. No, not his voice. What he said. It was like something crazy was happening. I should've gone. I looked at my watch. You know, any minute. He kept talking. I couldn't smell drink off him. It's just, nothing was right. I thought, maybe he's just making conversation, putting me at – oh god. The bus was late.

He said, he said, "you could run in those shoes". I couldn't see the bus. I should've run. He said, "you're wondering, is he fit?" I did the wrong thing. I should've run. Kicked him and run. I thought, pretend he never spoke. Just walk away. Made myself walk. Thought I'd get a taxi. There's always – on the main road –. The bus was late.

I didn't even know this man. He just grabbed – he was beside me – he just – I walked and he walked. He said – he got my arm – he said "Going somewhere?" Then he pushed me over this broken hedge, there's a garage – at the side of the garage. It's low down there, just branches. And I heard the bus. I think he hit me. The bus was there. He punched my stomach – and pushed me down – and –.

I don't have to say that, do I? Danny came by. He said it

doesn't happen. He said . . . men don't do that. Can't say the word. I thought he'd kill me. Wish he had. Wish it was over. I should have stayed at the bus stop.

I think I screamed. Don't know. Tried to make myself scream. Tried to make myself hit him. Scratch him. Couldn't – couldn't touch him. It didn't stop, the bus. You don't need me to say what he was doing. He was doing this filth on me.

I never even looked at him. How could anybody do that? I always thought if I didn't let it happen, it couldn't happen. And it was so easy. Nobody tells you that. Why was it so easy? He made me –. I said, don't hurt me. He said . . . "Say please". Do you know what he was doing to me –.

I tried to get clean. They took my clothes away. Wouldn't let me burn them. I want them burned. I had a bath, put bleach in it. Scrubbed myself – with steel wool. It only made me bleed. Why can't I get clean?

Moira stayed. She doesn't understand. Nobody does. It has to happen to you. I can't look at her. At any of them. They all know. I'll never be clean again. They're not burned, what I was wearing.

Martha: No Ma Wean

He wis born greetin, ah mind.
Ah chainged his nappies, fed him masell.
Ma furst an only yin.
He wis the brightest wee boy.
Aheed o thum aw, in school, he jist
couldnae be daein wi aw them rules.
Bit naw, he widnae dae that.
Wurst thing he dun wis torment the cat
bit sich a bonny bairn
ye couldnae be mad.
He even yaised tae be feared o the dark.
Dear goad, whit goes wrang.
Yesterday, yesterday,
ah wis shuvin him alang in his pram.
Noo, he's a man. Bit naw,
ah'm no believin that. He yaised
tae bring me flooers, an gie me hugs
an say "ah luv ye mam".
Wurst thing he ever dun
wus luft his hauns, bit only the wance.
Ah pit him oot the hoose fur that. Mibbe
if ah'd gied him anither chance.
Bit he stull comes by,
gies me a few bob, a rin in his caur.
Ah kent, even whin he wis wee,
wi they big blue een, an curly hair,
he wis gaunae go faur. Och, son,
if ye hud only telt them whaur
ye wur that nicht. Whey say here?
Ah sweer tae goad he wis brocht up richt.
Sat up wi him through measles
an the mumps, gied him a bike thon year
though his faither wis oan the broo.
Kid aywis haud ma heid up in the street.
Bit noo, no noo. Ah cannae
believe whit thur sayin.
Kill a wummin he didnae even ken?
No ma wean. No ma wean.

Eileen: The Longest Nicht

Pacin the flair,
bitin back the need tae shout oot fur help,
fur company, fur somebody, onybody
tae care, tae be there. Aw, wummin.
Ay in the sair daurk bi yersell.
Men. Big an strong, mibbe.
Bit no fur leanin oan.
Straw in the wind whin thur needit.
Blawn awa.
Ye reach in fur somethin tae draw oan
an thur's nuthin there. Nae deep well.
Nuthin bit a broad back ye're better aff
seein the back o,
an a lang, lang nicht ae pain
peyin fur the pleisure
ae touchin human flesh again.

Twa meenuts ae wildness. Waantin.
Needin tae touch, tae haud.
Tae be in that place whaur a wummin
needs tae be wi hur man. Ach, bairn,
yer mither wis a wanton wummin,
full ae wild passions.
But she dee'd haen ye.
Deid and burrit the nicht ye wur born
wi nuthin tae haud oantae
but a hard widden bedstead
an hur ain screams.

Peggy: Back Trouble

Ken ah'm fair done in.
See ma back, it's a sin, so it is.
The trail ah've hud tae git this prescription made up.
An made up's the word fur ma doctur's writin's
like a drunk bird wi durty feet hud staggered ower the paper.
Docturs, huh. Weel, they're only guid fur a seat
an tae get ye aff yer feet fur a bit hoor.
Mind, it's peace aw the same
fur, see it hame, that man ae mine.
Ah jist huv tae sit an he's hingin roon
tellin me ah should go an huv a wee lie doon.
Thinks ah'm a fool. Lie doon wi him aboot?
Ah doot ah'll need tae git stuff tae pit in his tea.
See since he taen that redundancy.
Ah wish ah could say it hud went tae his heid.
Ah huv telt him ah need nourishment
no punishment it ma time ae life.
Bit the things he expects fae a wife!
An whin ah fund oot wha's feedin him
aw these new fangled ideas ah'll gie thum a whack
'll pit them oan thur back – fur a week.
He's no speakin the noo.
Fur he came in wi this book, yesterday.
A look it wan photie wis enough,
ah near choked laughin. An he went aff in the huff.
Bit ma back goat sair jist tryin tae work oot
which bit ae who went where.
There is naebody kin bend there!
Least of aw me. Och, ye'd think he'd gie it a rest.
Ah mean we're baith past oor best.
Oh aye, he tells me we're in oor prime
an hoo it's safe noo that ah cannae faw.
Bit ah wish he wid mind
that I am under the doctur
an he's daen me nae guid at aw.

Doris: Ruddy Orange

Weel, I says
that deep antique aqua jist dis the job.
Aw it takes, I says
tae feenish aff in here
is a nice new sofa. Pink.
"No in this hoose," says he.
"Ower ma deid body.
Feenish me aff aw right," he says.
"Nae pink." Weel, says I
how aboot a nice rose insteed.
"That's pink," says he.
Cerise, says I. "Pink," says he.
Nice burgundy, then, or how aboot maroon?
Tell ye whit, aubergine.
Noo there's a colour that's in.
"No in ma livingroom," he says.
"Nor candyfloss, seashell, apricot or peach.
No, no even lilac." Noo, be fair,
lilac's blue, is it no? "Pink," says he.
"They're aw pink, pink, pink.
An ah'm no huvin it!"
So ah hud a wee think, an ah got this
bee-ay-yootiful sofa in a nice warum coral.
Weel, efter aw he said
aboot nae pink in his hoose,
ye waant tae huv seen his face.
Puce, it wis. Puce.

Agnes: A Wee Cure

See Valium. Cures awthing. So ye wid think, eh?
Wey they docturs chuck it aboot.
You oan it tae? No yit? Och, gie it a bit, ken.
Brek a leg ur somethin. Huv a dizzy turn.
Ah went cause ae him. "Doctur," ah says,
"ah cannae staun it ony mair." S'true, but.
Starts wi a roarin in ma heid aboot hauf past fower
an ower the next oor ma insides ur aw twistit up
ticht like a bundle ae knoattit string.
"Ye need tae relax," says he. "Here – try this."
In an oot – twa meenuts flat. Valium.
Ah says tae the chemist, "Wull that wurk?"
Ah mean last time it wis broken ribs,
time afore a dislocated jaw, maist times a black ee.
Chemist luiks at me like ah'm daft.
"Course it'll wurk. Nervous ur ye?"
Catch oan quick, they chemists. Friday the nicht.
"Jist folley the instructions," says he.
So, ah dis. Take with or after food. Richt.
Toddle aff hame, pit the mince oan.
Hauf past fower comes. Ma heid's gein me gyp.
Table set, fair braw – flooers an everthin.
Hauf past five, the caur door slams.
Tramp, tramp up the path. Door batters aff the waw.
"Whaurs ma dinner," it roars. The bull is hame.
"Ah'm dishin it up," ah says, "here's yer paper."
"Flooers," he says. "Whit's wi the flooers.
Whit huv ye bin up tae?" "Nuthin," says I.
"Jist thocht it wid be nice, fur a chainge."
"Dinnae think," it snarls. "Stick tae whit yer guid it.
If ye can figure oot whit that is.
Ah'll eat through here." Front ae the telly, as usual.
Still, nae skin aff, bit. Ah pit the mince oot.
Jist folley the instructions. Take with . . .
ah brek open a capsule, tip the pooder oot, foark in.
Kin ye taste it, bit – ach, in fur a penny
– steer in anither yin. Take it ben.
Paper gits the heave. "Whit kept ye?"
His usual, you know – this is awfy guid ae ye pet,
bringin it through, you sit doon noo, ah'll waash up.
Oh ay, whaur he wis dragged up? The midden.

Lord Muck ae Stoory Castle. Waitit oan – haun an fit.
Ah'm sittin in the kitchen tryin tae eat.
Tastes like saun in ma mooth, fingurs croassed.
Nut a complaint. Ah luiks through,
een glued, ye know, bit guzzlin it up.
Ten meenutes an he's asleep, snoarin.
Nuthin new, bit ken, he nivir shiftit till ten.
Gits up, says he feels queer, staggers aff
tae the toilet. Ah think quick – fix a cup ae tea.
Crack open anither dream-on an drap it in the mug.
"Ah've an awfy drouth," he says an drains it.
Wee lamb. Sleepin like a babby oan the rug.
Gie it an oor. Open a can ae lager.
Oh, ah sprinkled some ower his nibs. So ah could tell him
he wis it the pub, case he wondered, like.
Never minds a thing aboot it onywey. Never miss.
Poakit the pey, left him a coupla quid. His usual chainge.
Even scaled some broth an soor mulk doon the toilet eftir,
jist so he wid ken he'd hud a guid time.
Peace ruled. Me in ma ain hoose, huvin a fly sup,
an ma man – the wee darlin, smile oan his face, near haun.
Friday nicht an no a bruise ur a beltin in sicht.
Same aw weekend, soon is he luiks ower lively, jist tap him
up.
Imagine, doctur wis richt. See Valium?
S'daen me nuthin bit guid.

And Is Cut Doon

Whit is it ye dae wi flooers again? Oh aye, pu the petals aff. He's deid. Pu anither yin aff. No, he isnae. Nither yin. He's deid. Again. No, he isnae. Aye he is. No he's no. Aye he fuckin is. Ach.

See, is that no the wey ae it. Life? Jist when ye think ye've finally figured it oot, finally cracked it – the goal posts shift an everythin ye thocht wis richt is wrang. See if life wis a man –it'd be a man like Joe – a lyin cheatin bastard sore in need ae a punch in the mooth. Ah mean there he is, there he is – six feet unner an nailed doon tae boot. An whaur did he say he wis gaun when he went oot? The big gemme. Gaun tae the match this Seturday, he says. Never wance, never wance in aw that time did he tell me the truth.

Truth. Joe said it's like a rash. Maistly unattractive, an somethin ye're better aff withoot. He wis thirty when we met. Next time we went oot, he said "somethin ah should tell ye". Turnt oot he wis thirty-two. Fur a fortnicht. He musta hud three burthdays in they twa weeks. Ageing rapidly. Ah asked him wis it me – wearin him oot. Time he goat up tae forty, ah telt him tae shut up, ah didnae care – and he'd best keep quate or else ah'd be wonderin if he wis drawin his pension.

Pension. Huh. Noo he's no even drawin breath. Daith. Ye wonder how ye git here. Ah mean tae this place in yer life. Said that tae Jean, ye know. "The fifty-nine bus if ye're livin," she said. "Black cab if ye're no." Bit ye never know the minute, dae ye? Wan meenut the sun is shining – next meenut yer running fur shelter. Must be this damn country. We wur gaunnae go abroad – somewhaur warum. Joe never really fancied work. The Caribbean, he said. Easy livin. Lazin under palm trees, drinking iced rum – like in they adverts oan the telly. Dreamin.

Goatae huv dreams, eh Joe? Guid at that. Furst time we met, mind? "Ah'm dreamin," he says. "The Venus de Milo jist walked intae the Saraheid." An me. Slow? "Whaur aboot?" says ah, luikin roon. Weel, ye wid, widn't ye? "Vice like an angel, tae," says he. "Dinnae wake me, naebody. Lit me dream oan." Dream oan noo, win't ye, Joe. Easy livin – aye, that wis you. Pit oot yer haun an whit ye want draps in it. Joabs, money, bets, pals, booze. Ay hud whit ye wantit –

never done onything tae get it. Me an all. Saw me comin, didn't ye? M.U.G. tattooed richt here. Fell right intae it. Thocht ah wis smert. Hud ye pegged fur a chancer right aff. Mind whit ah says – "Pit yer een back in thur sockets pal, suit ye better there." Hud you sussed. Me, the smart arse. Did you miss a beat? Naw. "Have a seat" says you, drawin oot a chair. "Here, whaur ah kin sit an stare."

Taen a haud ae ma airm tae sit me doon. Near chewed the fingers aff him. "Pit yer hauns back in yer poackits, pal," ah says. "Be the only thrill ye'll git the night." Sherp is yesterdays' washing, wis ah no?

Joe, the gutty baw, cums bouncin right back. "Nae harm meant," he says. "Ye're a braw lookin wummin bit ah widnae want tae cause offence." Whit dae ah dae. Tell him fuck aff? Naw. Think ah've been too sair oan him. "Och," says ah, "awa an sit doon." Patter like watter he hud. An me drinkin it in like saun in a desert. Patter like watter – goad, they shoulda privatised him – shares fur awbody – an then they coulda shut him aff.

Shut aff noo, Joe, eh? Did the words run oot? Whit's wrang wi ye – nuthin tae say? Nae mair lies ye kin tell so that'll be you, struck dumb? Naewhaur left tae run, wis thur? Think ye're safe unner the grund. Think ye're faur enough awa – Och, Joe. Joe.

Wisnae the patter onywey. Ah'm no daft. It wis – it wis – it wis me bein saft in the heid – that's whit it wis. How kin ah say. Jist sittin there, that night, feelin high is a kite, flying, gettin a buzz an him still sittin – ootae reach, daen nuthin. See me, ah should ken, whin ye start feelin that wey ye should run. An keep runnin.

Electricity, Joe said. A fine thing, the electric – fur makin a cup ae tea, bit ae toast, daen the waashin, keepin the iron hoat. Bit if ye cannae plug it in, nur switch it oan ur aff – whin it starts up ootae naewhaur like that . . . wi a man . . . ach yer better aff wi an electric blanket. Wunner whit ye think ae the electricity noo, Joe. You an yer hedge.

He hud this hedge roon his gairden. Telt me aboot it. Telt me it wis a big hedge. Till he goat the electric trimmers. No that he wis much ae a gairdener, like. It wis the trimmers. Geid him a buzz. Said they wur the greatest thing fur gettin yer temper oot. onytime he goat annoyed, oot wi the trimmers, oot tae the hedge, bzzz, bzzz, bzzz. Hauf an oor an he felt great. Hedge didnae look sae braw – a bit clipped here, a bit there. Gettin wee-er week bi week. Ay hedgin, that wis Joe.

Hedged a loat whin we startit gaun oot. See, he ay hud a bit ae a tan, did Joe. Fae bein oot it the hedge sae often, nae doot. Cept fur this white mark roon his fingur. This fingur. Ah asked him right oot, that first night – whit is that white mark – you mairrit – huv you goat yer weddin ring hid in yer poakit? Never seen a man look sae hurt. "How could ye think it," he says. "That, that mark runs in ma faimly – it's kinduv a birth mark. Whit kinna man dae ye think ah am? Wait till ye meet ma faither – you'll see."

Me – ah'm thinkin jees, must be serious. Meet his faither – and ah've jist met him. No like a man tae want ye tae meet his faimly sae quick – if ever. Oh aye, ah ken. Warnin bells shoulda rung. Bit they didnae. Ah did meet his faithur – eventually. Wisnae Joe introduced me. Wis ma Aunt Jessie – come an meet ma new man, she says. Kent he wis Joe's faither right aff. Same birthmark. Same innocent face. Same lying bastard.

How long dis it take tae love a man? How long dis it take tae stoap? Sent me flooers the very next day, he did. Ah wis well caught. Couldnae think ae nuthin bit him – his een, his smile, the wey he walked me hame and didnae try it oan. No even a kiss, no a cuddle. Just "Goodnight, Venus," a wee wink an aff. Well caught. Next time ah saw him, we wur supposed tae be gaun tae the pictures, never goat oot ma flat. An that wis me. An that was that.

Ah widdae burried ye, Joe. Ah widdae burried ye – if ah'd hud the right. How could ye dae this – dee oan me, withoot as much as a by-your-leave. An leave me tae slink in the cemetery gates efter 'yer loved ones' ur aw away. If ye wurnae deid, Joe. If ye wurnae deid ah wid kill ye.

Ah did wonder whey – aboot the Tuesday an Saturday. Never seen him ony ither day. Said it wis his work. An ye believe whit ye want tae, din't ye? So ah'm slow. So ah'm stupit. So – ah wis daft aboot ye, Joe. Hud ma dreams tae. Naw, no the Carribean. The Shaws wid dae. Gettin mairrit, mibbe. A nice wee hoose. Bit gairden – we coulda pit in a hedge. You an me – an the wean.

Wis it the wean done it? Ah thocht ye'd be pleased. You thit hud never marrit or hud ony, bit wid ay stoap tae kick a baw wi the bairns in the street. Ye didnae look pleased. Feart, ah wid've said. Time, ye said – time tae git yaised tae the idea. An yer time run oot. Bit no afore you. Ah'd like tae think ye wid've come back, Joe. Bit ah dinnae. Ah ken ah'm slow. Bit ah catch oan eventually. The big gemme, see. It's no the fitba season. The patter ae tiny feet, they say. Mair like the clatter ae size tens runnin awa.

Bit that wis ay you, Joe. The easy road oot. Whaurever thur wis need, you wurnae. Nae doot yer last request wis a steel lined coaffin. Ye'd huv the worms sterve raither thin gie thum a feed.

Wife an three weans ma Auntie Jessie says. Tells me you were oot at yer hedge. Gaun at it guid style when she spotted ye. Course she's surprised tae see ma fella cuttin a gairden hedge in Pollok whin he comes fae Castlemilk. You wur surprised tae see her an all. Pit the trimmers doon tae answer hur. Whit wis it ye said – yer brither's hoose? Till the wean comes oot and shouts "Da, kin ah git a shoat?" Wur ye gaunnae take them aff him, Joe, when ye made that grab jist the minute he switched oan and the vibrations made him lurch. Wur ye gaunnae take them aff him. Or wur ye tryin tae shut him up. Tryin tae stoap the rash ae truth. Hedgin yer bets tae the last.

Onywey – ah come here tae say 'Cheerio, Joe' Bought ye some flooers. Ye were ay a boy fur the flooers. So ah'm returning the favour. Man springeth up like a flooer. And is cut doon. Dead right, eh?

Neighbour Hoodwatch

Neighbour Hoodwatch

Thing is, if she's no in she's oot.
Ay gaddin aboot. Dolled up tae the nines.
Thing is, ye've goattae wonder
hoo she keeps aw they weans.
Hur wi nae man. An if ye ask thaim
whit thur mither does of a nicht,
they jist look. Damn cheek.
Butter widnae melt, like. Whit we waant
is a petition. Get it stoapt.
Thing is, she disnae talk tae emmdy.
Could be up tae anyhin. Ken?

Protected Species

Oy. D'ye ken yuv goat rats?
Tellin ye. Seen yin the day,
crossin ma green. Watched it, like.
Seen whaur it went. Intae your bit.
Richt unner the fence. Tellin ye.
Kent whaur it wis gaun, aw richt.
Seen yin last week. Come up ma side,
wandert, cool is ye like, richt by
yer dug's nose. Dug never seen it yet.
Oh, ye've goat rats, aw right.
Sleek, shiny, weel fed buggers.
Twa ae thum wis oot ma back the ither day.
Yin wi a hale slice ae breed.
Yin wi a big daud ae cheese.
Could haurly stagger fur the wecht.
Cheeky is shite. Ye must be breedin thum.
Thur gaun in wi ma rabbits. Kilt yin.
Thoucht it wis a fox it furst.
Ay spillin thur dried wintur feed.
Think wi you huvin a cat an a dug, eh?
Bit naw. Oh, thur comin fae your bit,
aw richt. An it better stoap. Tellin ye.
Ye've goat rats. An ye better git
somethin done. Or ah'm reportin it.

Bitching

Hud oan a meenut, hen.
Wantin a word, ah am.
See that scabby dug ae yours.
Night an day he's roon ma back.
Fower times ah've hud the vet.
Says it's ma faut. Ma faut!
Ten fit pailin we've goat.
Nae dug kin sclumb that.
Your brit's the only wan.
Waants a circus that yin.
Houdini widnae hiv a look in.
Ah catch him, he's deid, ken.
Buckets ae watter, hauf bricks
lined up, waitin. Droon mine
wi magic perfume. Disnae fool him.
Forty quid a jag he's costin.
Jees, dug could be a junkie cheaper.
Pedigree dug, wastit. Vet says
nae mair abortions so you better
keep yer durty mongrel in.
Oor Queenie steys oot her ain back.
Tied up so she cannae wander.
Ah'm daen aw ah kin.

Green Cross Code Lesson

See they twa weans.
Ah'm comin roon the bend, right
an that wee yin steps aff the kerb
richt in front ae me. Never even looks.
So ah'm oot the motor,
waantin tae ken whit he's playin it.
Telt him ee ever dis that again
ah'll fit ees fuckin erse fur him.
An that wee cunt ae a brither ae his,
size ae tuppence hapenny,
says: you touch ma brother
n'ah'll fit your fuckin erse.
Ah mean, whaur dae they git it, eh?

Roadside Rage

Wid'ye mean, yer fed up
comin hame an fundin
three quarters ae a parkin space
in front ae ma caur
an anither three quarters
it the back? Wid'ye mean?

Wid'ye mean, if you're hame furst,
nae maitter hoo much room ye leave,
ah'm richt up oan yer bumper,
blockin ye in. Wid'ye mean?

Wid'ye mean, yer fed up
gittin yer wheel trims nicked
yer tyres slashed, yer wipers whupped,
yer pentwork scratched
an yer aeriel broke aff? Wid'ye mean?

Wid'ye mean, the worm hus turnt,
revenge is swuft,
vengeance is mine. Wid'ye mean,
bringin 'at sledgehammer oot?

Noise Pollution

Haw. You wi the fuckin baw!
Gaunnae fuckin shut the fuck up
wi yer bounce, bounce, bouncin.
Some ae us ur fuckin waantin fuckin peace.
Haurly git enuff fuckin sun tae fuckin lie in
wi'oot you fuckin bounce, bounce
fuckin bouncin. Hae us aw fuckin deef!
Ah'll fuckin gie ye fuckin 'whit?'
Haw, Magrit, gaunnae fuckin turn
the fuckin Prodigy doon a fuckin bit
tae ah fuckin tell this fucker whit's whit!

Airlock

That yin next door's awa oot
an the mither in law starts
Ye hear that loat in there
tappin oan ma bedroom waw,
me tryin tae sleep. Startit
the meenut she went oot, ken.
Hear it? Tap tap tap.
Hauf an hoor thuv kep it up.
Drivin me daft, they ur.'
Hauf an hoor ae hur moanin,
an ah've hud enuff. Coorse,
time ah kicks thur door in
they're kiddin oan the wee yins
is aw fast asleep. Naebody aboot
baur the twa auldest watchin
telly in the livinroom.
Tried tae say it wis the central heatin
makin aw that din.
Bounced thum baith aff the waw.
That'll learn thum.

Weed

Oot cuttin hur gress.
Went right roon, says
see r'at plant,
that big purple hing it yer gate,
ken whit it is, then?
Aye, she says, Honesty.
Bold as brass.

Gied her ma best
wis-ah-born-yisterday stare.
Thinks hur gairden's braw.
Jist lets it grow, ken.
Sort hur oot, says
no a weed then?
Goat a name.
S'aw ower r'place, but.
Oot ma back.
Couldnae hink whaur it cum fae.
Seen you'd wan.
Seed a loat thaim?

Aye, says she, everywhaur.
Hoo j'think it goat in here?
Whit's a weed though?
Flooer in the wrang place.
Only a weed if ye dinnae waant it.
Gaunae shift.
Ye're in ma road.

Type Cast

Optimist

I should burn this blazer have
a funeral pyre and then, oh yes, I would
set the world on fire. I am
stepping up, gonna shout
look out this is the real me, free,
fresh air, all set, on my way.
Gonna slay everybody with my
Mary Quant hair cut, mac in white
plastic, black mini, kohl eyes,
white lipstick smile. Oh,
I have got miles of go in me.
Just see you don't get sucked
in my jet-stream. I mean I will move,
be real groovy, ride a motor bike, have
a fella called Mike, wear black leather,
thongs, thigh high boots, I will
rock with the rockers, chew cheroots,
drink blue lagoon cocktails, go off
all the rails some ways. Maybe
buy a bubble car for Sundays.

Bulimic

Psychology,
and at last
one class we might expect
to understand.
Without doubt
we had travelled through
the pain of growth.
But no,
our youth too
was couched in numbers,
formulae presented,
statistically counted.
Mussen, Conger, Kagan,
where were you
when childhood passed by
cross referenced,
cross indexed,
and cross-eyed
trying to figure if
IQ correlated.
Fully immersed,
we learned
to ingest facts
without absorption
and at some later date
in breathless halls
we'd hush,
raise our pens,
push
two educated fingers
down our throats and
regurgitate you
on demand.

Alcoholic

Mouth to lip, I thirst
for that kiss, can't deny you.
Life has never enticed me
as you do, never held me,
kept me, bound me, as you do.
Love – what is that – a pale partner,
an empty box – oh, I've prised
the lid off that one – dust,
hollow laughter, empty words.
You dull the deadly voice
schooled into my head,
my sister's tongue. Whiplash
of a language planted to prevent
my true sound forming thought.
The head works the hand,
the pen is servant of the brain
– time and again I make the mark
of destruction, vote away my land.
Smugly, she rules, needing no
external method of control.
This implant is permanent.
My mouth speaks heart and soul
the whole of me my own mind
betrays. So take away this foreign
drum. I'll dance to the din
of drunkenness rather than
soberly embrace the mindless space
my guid Scots tongue inhabits.
Do your work, drown the English
voice sounding in my head.
Never more than half alive
I'll drink deep – be wholly dead.

Disenfranchised

Ma hame is deein.
A wean greets fur its deid mither.
Yin sword stroke taks its heid aff.
Auld Tam McBean hides in his cott.
They block the door up.
Burn it doon.
Auld Meg lies twistit like a broken stick,
blood rins atween hur legs.
Raped, then shot.
Yin ae the lucky wans.
Doon by young Cath's hur bairn hings,
splay spiked oan a bayonet,
wee fists grab yit fir hair an breest.

Hawley rides me tae Culloden.
Tae inspect ma troops.
The air is soor wi scorchin turf,
sick-sweet wi the heavy smell ae blood.
At the Well ae the Deid,
MacGillivray is his *coup de grâce*.
Ma een nip, but I canna greet.
Fat bellied awready,
the craws flutter but cannae lift aff.
Somebody screams. Jile will gie me peace.
Daith will be easier faced than this.

Disenchanted

Oh, I weep fur ye, man.
It is high time ye kent yerself.
Ye care nuthin fur weemin
fur care is beyond ye.
Oh, I ken ye driven.
Passionate.
But ye are a man ae war.
It is the battle heat inflames ye.
Ye stalk, capture, move oan.
Love disnae ken ye.
Nor dae you own it.
The deeper risings are a mystery tae ye.
An ye brek, in ithers,
whit ye dinnae unnerstaun.

If ye waant comfort,
I hae een that burn wi waantin,
mooth ripe as ony ye micht taste,
nipples sweet enough tae feed at.
Deeper, daurker, riper fruit.
I care na fur yer dalliances,
ken they cannae fill ye.
Go, thrust yersell intae a thoosan weemin
an fund yer ain emptiness risin tae meet ye,
time an time again. Or match me.
Win or loss, the auld order's redd awa.
There is a new warld tae mak.
Power fur the takin.
We kin rise oan that.

Role Model

Drink.
Seems tae be aw he thinks aboot.
That, an gettin oota here
soon as he comes hame.
Ah've tried leavin him alane,
sittin in oan ma ain
bit then he comes in
wi that stupit grin oan his face,
fawin aw ower the place.
An ah git mad.
Ah've tried tellin masell
it's no that bad.
But it's wurse.
An ah've tried gaun oot tae
bit ah cannae staun
watchin him git fu,
ur tryin tae stoap
aw the fights he gits in
n'feelin embarrassed whin he kin
haurly walk tae the baur
fur 'this last yin'.
Aywis 'this last yin'.

Feminist

Dae ye think there is nae saftness in ma breest?
Am I as hard as a bed oan the moor?
Cauld as an ice-frigid watterfaw?
Is it a man I should be havin tae thaw me oot?
I ken ma ain needs, the ebb an flow
ae the tide in me. Ice an fire.
Oh, I am no easy won.
Whit man truly kens, kin gie the saftest touch,
the haudin back, the wettest gentlin,
kin fan the lowes an keep me . . . oh, keep me . . .
Whit man wid draw ma pleisure oot
ower aw the hoors I kin, whit man
hus onything tae add baur the thrust.

Dissembler

No, don't shift yourself.
Just you sit there.
I'll get the grass cut.
I'll put the bin out.

Man. Wonder why I bother.
Day in day out, stuck
in front of the tele.
Summer, winter. Always the same.
Say anything and what comes back at you.
"I work. I keep this house.'
Does he hell as like.
Keeps the bookie and mine host
down at the pub.
What does he think I do,
stuck in that bleedin shop all day.
Just passing the time?
Paying his rent more like.
"Wife's got a wee job," he'll say.
"Well, I don't mind, keeps her happy."
Aye, keeps me happy all right.
Happy knowing the bills'll get paid.
Happy knowing there's a roof over our heads.

No, don't you trouble yourself.
Job's done. Here, that chap
from next door was out the back.
Don't see him leaving a heavy job
like that to his wife.
Oh, aye, knew you'd say that.
Queer. Bound to be.

Catwalk Queen

He expects.
And I powder my parts,
puff the painted rose glow on my cheeks,
rush to meet.
Oh, it would be so easy to
not do.
But there are always the streets
he'd put me out on.
So I spoon me into whalebone,
spin some alarmingly charming grin,
speak in girlish tones,
pout,
put myself out.
And take him in.

Company Woman

Now, I want to make it clear, right from the start, that this is my second video. I withdrew the first one. Had it up to here, right up to here, with nerds. So, I decided I hadn't made myself clear. Time to re-do. For starters – what you see is what you get. Yes, this really is me. This is not a friend doing a dummy rum, a hired help, a stand-in, or even the woman next door. I am not incognito. Got that? Right. Then you won't be disappointed when Michelle Pfieffer doesn't turn up on our first date. Like the first guy last time. Oh, he says, surprised as hell – I only go for blondes. Spent a fortune on the dress, an hour on the train and he's expecting blonde as well! Mind you, another night with an eejit like that would turn my hair white!

But really, I've heard them all – oh, I thought you were younger, older, fatter, thinner. All these guys paying through the nose for agency videos, and every one of them blind! Or is this supposed to be a kind way of saying, look lady, I'm not taken with you after all? Waste of time. My time. Your time. So this time, I'll give it to you straight. I'm just looking for a half-way reasonably interesting guy to date. A bit of fun, a good time, even. I give as good as I get. And no, I don't want to be married. I've done that. One shot – that's all it deserves. No, I don't want to be anybody's mum. Never had kids and don't want to start. Better never than late, in my book. So, get this, I don't cook, don't iron, don't clean up other people's mess, don't solve everybody's problems. Men who can't help themselves make me puke. So, if you're looking for mummy, go home, stay home. At the very least, don't phone me.

Me, I run my own business, own home, car. I don't carry passengers, so you'll need to have your own thing. A source of income, for a start. With me it's roof tiles – and no, that doesn't mean I'm a sucker for every guy with a loose slate. Or anybody who can't get through a date without a bucketful of booze, a quick fix, or an ego massage. "I say, did you really? Twenty pints? All in one go?" Cheerio. There must be some guy out there who can hold an intelligent conversation – though I guess pantile roofs or corbelling is too much to hope for. I'm a realist. Tell me what you do. I ski, skate, scuba dive. Try anything once. I've had the living dead, the zombies, the fed ups, propped ups, the nothing's worth the effort kind and the what's the point of it all brigade. So, this time, for a change, I'd like a guy who's actually alive. Pinch yourself, check before you phone.

Oh, and one last word. I like sex. OK, I know I sound fussy, but I'm no prude. And no, I'm not asking for five star performance, an Erotic Zone researcher, climax co-ordinator, India Rubber contortionist, perpetual motion or a pneumatic drill. Yeh, I know it's tough being a man. But, if you've got trouble, see a shrink, get a transplant. Forget good even, we can practise. Yes? Whatever you like, I'm game. But let's start with working order. I'd like a man who can.

The Intellectual

Intelligence.
That's whit ah'm luikin fur in a fella.
Sumdy thit's akchully read Plato,
mibbe recites Trouverè in bed,
likes Poussin, kens the diffirence
atween Ormazd an Ahriman,
his trimeter fae his tercepts,
an even unnerstauns Brecht.
Weel, ye kin hoap. Ah mean, Archimedes,
see whin ye're in the bath thegither,
displacemint, best if ye ken.
Saves the flair. Cue fur Coleridge therr
an wha waants that. Big turn aff.
Last guy ah went oot wi, daft? Ken the kind
– open thur mooth ye git a draft.
A jiner, he wis. Energy, bit.
Nae finesse. Mind oan wan track.
Ah says twa hunner an twelve BC
Archimedes inventit the screw.
Ah um regretting it noo.
See ma back. Rubbed raw.
Naw, ah waant a man wi mair up here
thin doon there. Brains no brawn.
Nae wey ah'm fawin fur the Chippindale type
– like ripplin muscles – aw that ile.
Slip oot yer hauns, win't they. Din't they?
Wan squeeze – and skoosh, thur awa.
An jist think, could ye go aw that
ap-pli-cation – pittin the poalish oan
they hard is a rock biceps,
shinin up thur knock on em pecs,
smoothin it in they groovy choaclit block
abdominals . . . rubbin it richt roon . . .
aw here, ah'll needtae awa an sit doon.

Religious Maniac

Christians keep coming to my door
and the lions are restless.
I tell them keep away.
I say the world is wonderful,
what a place to live,
quite the best I've known.
War and pestilence, par
for the course, balance out
and there's always the nineteenth hole.
Joy and sorrow, see?
Overall we're doing okay.
Thank you but Armageddon
isn't quite my cup of tea.
I'll pass on eternal life,
it wouldn't suit.
Better live and die
than be alive and dead.
No is an answer too,
did you hear that roar?
The restraints are snapping
and the point has scored.
Stop stopping on my doorstep,
skip making up my mindset,
chill out elsewhere, go.
Roll up the chosen few,
pocket your Watchtower
and for God's sake take
eternity with you
before it's too late.
The point is prayer
could lead to bloodshed.
The point is prayer is ill advised.
The point is, Jesus wept,
the lions want fed.

Sacrificial Lamb

Truth is if he wis
caught treatin a dug that wey,
it'd be taen aff him.
He'd never get tae keep a dug again.
The polis should've charged him.
Whey dae they leave that up tae us?
If a boxer's gettin battered,
somebody else stoaps it.
Naebody says he asked fur it
by gettin in that ring.
Onybody takes a hostage, the polis
or the army are straight in.
They dinnae wait fur the hostage
tae phone up wi a complaint.
Eh, 'scuse me but this guy's
goat a knife at ma throat.
Wants hauf a million,
a helicopter tae Barbados
an his dinner made.
Gaunnae dae somethin?
Are you making a complaint, madam?
Do you know this man?
Has he done this before?
You do realise our presence could
exacerbate the situation?
Naebody's expected tae rescue thersells
'cept us. An even when we try,
whit help dae we get?
The coort gied me a bit ae paper.
Say he's no tae come near me again.
Matrimonial interdict.
Gied it tae me. Fur protection.
A bit ae paper. Aboot this big.
A bit ae paper tae stoap
a man wi murder in his hert
an an axe in his haun.
Mibbe fifteen year ae brainwashin
an torture wasted ma heid.
But I cannae figure oot
hoo it's supposed tae work.

Christmas Cards

Beannie: Good Time

See hur,
thinks she's the bee's knees.
A wunner she disnae catch
hur daith ae cauld wi the breeze,
aw night
they've bin buzzin aboot hur
– flies roon shite.
Jist cause she's goat blonde hair,
an wears designer jeans.
See if she luiks it ma fella again
ah'll tak hur apairt it the seams.

Jeannie: Party Time

Shh, dinnae tell onybody ah'm here.
Ah'm feart he sees me, feart he disnae,
feart he speaks tae me, feart he wisnae
even gaunnae come. Whit one?
Oh, ye cannae miss him. He's – eh'm,
an – uh'm, an – ooh. Stauns oot a mile,
an see whin he smiles, well ah jist melt.
Ah telt ye, he's gorgeous,
– course he's here, dinnae joke.
Pint him oot? In aw they fowk –

Ella: Yon Time

Sleepin wi hur man?
Ah telt hur, listen hen,
ah'd be asleep jist staunin listenin tae yon.
Ye want tae feed him All-Bran,
git somethin movin. Shair he's no deid?
Whin ah need a man like thon
ah'll be in a coaffin
an he'll be drivin the hearse.
Must come in gey handy, though
– you bein a nurse.

Tellin Me?

Hud hur knickers in a twist,
sayd she wis a feminist.
Ah jist let hur be:
nuthin tae say tae ye.
That drew hur horns.
Wummin's no bin born
kin say owt
whin she cannae shout.

Tellin You

See me, ah'm a rapist,
get it wey ma fist.
See wummin a sair face
lets em ken their place.
See polis, smirkin nancies,
they aw fancy their chances.
See judges, they kin see,
wan short step an they'd be me.
See Ministers, makin law.
Ken wummin's meant fur it, an that's aw.
See the man, says he widnae try,
he's tellin a lie.

Efter the Waur

IM: Aw richt. So whit ae ye daen?

UR: Speakin tae me?

IM: Naw. Ah'm speakin tae the waw.

UR: Aye. So whit ae ye sayin?

IM: Ah'm sayin whit ae ye daen? Ur we gaun?

UR: Ah telt ye wance. Ye're not on.

IM: Weel, if ah'm no oan ah'm aff. That's the score.

UR: Please yersell. See oan yer road oot, shut the door.

IM: Nae pleasin you. Ah said ye could come. Bit you. Raither
sit oan yer bum.

UR: Leas ah ken how. An less ye waant anither row, git oan.
Go yersell.

IM: Aw, that's swell. N'you'll sit here an stew.

UR: Aye, weel. Leas ah'll no come roarin hame steamin fu.

IM: Here, wait the noo –.

UR: Ah'll wait nae noos. Ah've said ma bit. Go oan, git.

IM: Aw whit. Fine nicht ah'm gaun tae huv.

UR: Naebody's gein ye a shove. Ye could stey.

IM: An fur whey?

UR: Fur an early nicht. Ye kin . . . keep oan the licht.

IM: Keep it oan? An wid ye weer yon. . ?

UR: Ah micht.

IM: Aw richt! Richt, that's fur me. Ah've taen ma jaiket aff, dae
ye see?

UR: Nae rush. Ah'll pit the kettle oan. Make us a cup ae tea.

Peggy: Inconvenienced

Ken, ah'm no gaun doon that toon again.
There's ay somebody at it, researchin they caw it.
An excuse fur askin a loat ae daft questions.
Ye ken wha ah mean, ye'll huv seen thum.
Face pentit oan, nae a hair oota place.
Skirt that wid be a disgrace is a pelmet.
Ah yaisally spoat thum a mile awa bit the day
ah hud jist made the twa saicund sprint ower yon crossin
whin this clipboard gits rammed in ma ribs
an ah'm caught, jammed up agin the brig.
Jist daen a wee survey, she says. No tak a meenut,
aboot local amenities, nuthin much in it.
Ah said, weel the'll no be, bit she didnae see it.
Turnt oot she wis askin aboot yon superloo.
Ken, thon boax wi nae coarnurs plunked doon bi the stairs.
Ah telt hur wild hoarses widnae drag me in there,
no even afore ah hud ma bladder repair,
no if she peyed me, nae wey. Ah wid burst furst.
She said it played music.
Imagine a quick blast fae yon Queen.
Wid be the furst time in forty year ah'd stoap midstream.
Naw, bit it's quate, says she.
Ah sayd, like it funerals, hen?
Weel ah'll jist wait till then
whin the only thing passin'll be me.
Ah mean, thon's no natural. S'like a jile fur wan.
N'solitary confinement's no ma idea o fun.
Och aye thur queued up ootside it, nae doot.
Bit tell me, huv you ever seen onybody comin back oot?
Weel, she says it'll open bi itsell if yer in ower lang
bit whit if yon bank vault door goat stuck,
wid it teer yer claes aff, gie ye a waash n'brush up?
Naw, naw, thon's no fur me.
Ah'll jist keep gaun in the bus station
even if it is gey wee.

Carol: Creative Dressin

This is ma 'consciously creative' outfit.
Ah read it in the paper.
Leathir jaikit an a loat o hair – 'voluminous'.
It wis advice oan whit the upwardly mobile
shouldnae wear. Tight jeans stuck in yer bitts
an 'a loat ae black characterises this look.'
Ken, ah goat the feelin ah hud read the book
an ma mither hud wrote it furst.
An this bit wis wurse –
'Worn by wummin in the media.' Whaur aboot?
Noo why dae they dae that? Ah mean, it's depressin,
pickin oan fowk's sense ae style.
Seems if ye want 'the power ae positive dressin'
ye've tae go fur a suit.
Did you no ken that? Then ah'll tell ye.
It's tae be elegant, jist skimmin the knee,
tailered an pricey enough so awbody kin see
you are oan your wey up.
An worn wi a simple silk blouse. Nice.
Noo whit's simple aboot a silk blouse?
No the price onywey. Try gittin yer hands oan that.
They must be bats.
Wan silk blouse an the rest ae us ur oan oor wey doon.
Ahm mean, ye dinnae git twa o them fur a pound.
No in this toon.
So, ah dinnae ken wha decided ma gear wis creative
dressin
bit they've made wan big impression.
Fuck smart. See me, ah'm takin up art.

Sandra: In All Innocence

Ah'm deid oan ma feet
an if ah meet wan mair guy the night
thinks ah'm needin a run hame
ah wull maim him so ah wull.
Och, ah ken they mean weel
bit they make ye feel
like a waste ae a guid lamp post.
"Dinnae hing aboot here, hen.
Shair ye're aw right?"
Bright they ur not.
Cannae spot a pitch till ye spell it oot,
they're that slow.
An then whin they get it
they do not waant tae know.
Ah mean, that's bin ma night.
Twa offers ae lifts an wan waantin a light.
His wis a right wag.
Turnt oot he really meant fur his fag.
Still, ye've goatae dae yer bit.
Ah mean, ah huv tried livin oan yon benefit.
Wis doon there last week.
Course ah huv tae speak tae hur majesty.
The wan wi the eebroos.
She's sut there, wan up an wan doon,
starin it ma tattoos
an ah'm tryin tae tell hur
ah've goat great big holes
in the soles ae ma shoes.
Sympathy, furget it.
Thon's ower busy luikin doon it's nose.
"Ah um shair whit you spent oan those
wid huv peyed fur new footwear."
Then it waants tae ken
if ah'm stull luikin fur work.
Whit a burk.
So ah pints tae ma feet.
An, jist jokin like, ah says
"Naw, they only goat that wey
fae walkin the streets."
Weel, that's whin baith eebroos
scoots up intae hur hair

an it lufts ower a form
tae claim fur bus fare!
Ah'd hud enough.
Ah says "Jist wait right there."
An ah leaned ower that coonter
an telt hur tae stuff it,
ah'd get the cash aff hur man
next time he fancied a bit.
Weel – mibbe that'll stoap hur actin
like it's comin ootae hur poakit.
Bit aw this unemployment's makin life tough.
Hauf the punters ur skint.
An the ither hauf's gay.
Ken there's nights oan this stretch
ye couldnae gie it away.
Ah've bin thinkin,
mibbe ah should git mairrit
an settle doon. Like ma mither.
Git aw yin man's pey oan a Friday insteed
an whin it comes tae the ither
ah could huv a sair heid.

Sharleen: Star Turn

See me, ah waantit tae be a belly dancer whin ah wis wee.
Wear a veil an huv a diamind in ma navel.
Bit ah'm faur too shy, an besides ma belly steyed flat.
So that wis that idea hut oan the heid.
Insteed ah went tae the bally. Up oan ma pints.
Bit ah'll tell ye this – thon's gey sair oan yer jints.
An whit's mair, aw the guy's wear tights.
Weel, ye dinnae hauf see some sights.
Ah seen wan oan the TV, an that wis me.
Ah couldnae huv danced wi thon!
Ah mean, cum oan, me? That's a joke.
Ah wid've been the furst Fireburd in histray
wha's face wis ridder than hur froak.
So ah geid up ma dream ae bein a ballerina
an jined the youth club disco team. That wis awright,
dancin in the daurk wi jist them sparkly lights.
Then we goat asked tae go in a competishun,
teams fae aw ower Scotland, an it wis gaun oan the
television.
Ah wis in some state while we waitit tae go oan
bit wance we goat gaun ah wis fine. Weel, fur a while.
Course somethin's goat tae go wrang an spile things.
Mibbe it wis that licht – it wis awfy bricht,
an we wur it this tricky bit in oor routine
whin ah seen oor teechur, oot the coarner ae ma een, starin.
Luikt like she wis glarin – it me ah wis shair.
Ah thocht ah must be wearin the wrang thing an luikt doon.
Weel, afore ah could turn roon aw the rest danced aff that
    wey.
An nuthin ah could dae bit stey whaur ah wis.
An that licht steyed tae, oan me, so's awbody could see.
Och, ah wished the grund wid open up an swally me.
Then ah minded aboot the bally. Ah telt masell –
Sharleen, this could be yer big chance
an aw ye've goat tae dae is dance. An ah did.
A jette, pirouette, a coupla pas de deux
an afore ah kent whaur ah wis the rest come dancin richt
    back.
Ah slid intae ma space withoot a pause.
Weel then, ye waant tae huv heard the applause!
Ah felt like the star turn.

It jist goes tae show, whaurever ye are,
if ye make a mistake, keep the heid.
Mibbe ye kin make it work fur ye insteed.
An, though we didnae win, we stole saicund place,
so ah wisnae in disgrace efter aw. Oor teechur
sayd she understood and she wis actually quite prood o me.
Seems she'd bin worrit, whit wi me bein sae shy.
An so ah am. Bit ah git by.

Ye Cannae Win

Jenny: Weavin the Spell

Ye hae tae feel it.
It's hingin in the air.
Nae wind tae steer things up.
Nuthin movin.
The animals ur quate.
The burds peep but dinnae squawk.
The gress an trees an bushes bide at peace.
Watter in the burn gaes by,
slaw slippin ower the stanes wi haurly a wrunkle.
In the seas, the watter lies
like gless that micht shatter.
Even the staurs ur staunin stull.
The wurld haudin its braith.
Waitin while sun an earth
staun at thur furthest pint.
Aw life thit needs the licht is waitin.
Watchin. Kennin thur will hae tae be
a comin back, a new beginnin,
ur the daurk wull never luft
an awthing livin wull end this nicht.
Dae ye no feel it?

Sarah: Fed Up

See ma mammy,
says eat yer dinner.
Gies me cabbidge.
See ma granny,
says the wean
wullnae eat that,
leave it, hen.
Gies me choclit.
See ma daddy,
says ah've goatie
clear ma plate.
Dinnae like that
greasy gravy,
stane cauld tatties.
See ma granda,
says the bairn
s'no goat a stummick
like a coo.
Gies me lickris,
pandrops, chews.
Ett thum aw.

Feel seek noo.

Sarah: Eatin Oot

Ma da says whit's wrang wi steak?
Ah says s'tough. Cannae chew it.
Ma ma says whit's wrang wi mince?
Ah says somedy else chewed it.
Ma da says whit's wrang wi curry?
Ah says tastes awfy funny.
Ma ma says whit's wrang wi fish?
Ah says tastes like fish.
Ma da says whit's wrang wi spaghetti?
Ah says s'like eatin big worms.
Ma ma says ah'll cut it aw up.
Ah says wee worms. Yeugh!

They says s'aywis the same.
Been as weel stey it hame.
Dis she no ken this is a treat?
Dis she ken she's supposed tae eat?
Menu? Ken you could be in the Ritz,
nuthin's guid enuff. No fur hur.

Ah says whit's wrang wi hamburgher?

They says shut up!

Barry: Geeza

Haw, Maw
geeza coupla
quid. Gaun Maw,
it's ma
poakit money.
Goat it awready?
Naw ah didnae.
Yer kiddin me.
Aw Maw.
Haw, gaunnie
spare us
fifty pee,
jist tae
git a
can ae juice.
Gaunnie Maw,
geeza – whit?
Boaried it?
Awready? Naw.
Ah didnae,
did ah? Aw.
Haw, Maw,
kin ah git
a bit ae cake?
Ah ken it's jist bin baked
that's hoo
ah like it.
Veesiturs!
Aw, Maw,
gaunnie geeza
break.

Barry: Wiznae Me

It wiznae me.
Weel, ah didnae.
Wiznae even in here.
S'no fair
ye ay pick oan me.
Ah nivir seen the packit
only came in fur ma book.
S'aywis the same
aw ah did wiz look
an ah git the blame.
Whey wid ah touch it,
dinnae even like choclit.
Course you nivir believe me, aw naw.
Wid ah dae that,
wid ah huv ett thum aw?
Ah wid tell ye if ah dun it,
think ah'm stupit.
Go oan smell ma braith,
go oan, smell –.
Crumbs – aye well.
Bit ah didnae mean it.

James: Fitba Daft

Some gemme, eh. Some gemme. Och, ah wis great.
Nippin aboot shoutin "Ower here, ower here.
Pass ya wally." Mind ah wis in some state.
Couldnae see me fur stoor – weel, akchully muck
cause it slaiggered the park an the waw roon aboot.
Bit it taks mair'n durt tae see me stuck.
You ask oor teechur, bit ah cannae hauf run.
Then wan eejit kicks the ba, a pass tae me.
Fair spiled ma fun. Bit there wis the goal
an there's naebody fur miles, right?
So ah goes like the clappers, it the speed o light.
The ref's runnin ahint. He's cheerin me oan.
Blawin his whistle, an ah'm keepin gaun.
Weel, it isnae ma faut ah kin stoap oan a peen.
Bit ah stoaps, jist like that, tae set up the baw
an the ref swerves tae avoid me, an runs intae the waw.
Wee Shug's in the goal an his mooth's hingin doon
cause he's watchin the ref crashin intae the brick.
Ah lit's fly. The ba's in!
Ah'll tell ye that wis some kick.
Ah'm punchin the sky, an jumpin aboot.
"Gemme's a bogey. See ra boy. That's ma goal. Yes!"
Then ower comes the ref, och he wis some mess.
There wis moss oan his eebroos, an bluid oan his shurt.
He looked awfy angry. Ah think that wis the durt.
Bit he taen a deep braith an lit go ae ma strip.
"Affside" he says. Ah says "Aye ye wur, jist a bit".

Bert: Diggin in

Listen,
ah dinnae think Australia's doon there.
We've bin diggin fur hoors
an aw we've fund is hunners ae worms.
Onywey, it wid be gey hoat
an this grund's no even warum.
Ah think whit'll happen is
a volcano'll erupt.
An your faither wullnae like that,
aw that lavi n'stuff
aw ower his gairidge.
An we cannae be naewhaur near it
cause we wid hear it.
Aye, we wid.
They've goat trains an caurs
an aireyplanes ower there an aw.
This is nae guid.
An even if we git there
we'll be the wrang wey up.
Ah'm gaun tae stoap,
ma back's gittin sair.
Ye dinnae even ken if it's here.
It micht be ower there.
We could be diggin in the wrang bit.
Weel, ah'm no diggin ony mair
an ah dinnae care whit your teechur said,
ah think they've shifted it.

Sarah: Stranger Danger

Ma da says ee's gittin a new caur.
N'ah says see r'at man roon n'corner
s'got a funny motor,
s'got lectric windaes,
s'got a compewur in it,
s'got a wee man in it says
Few-elle is low.
N'ma da says whit've ah telt you?
N'ah says at's no sweerin.
N'ma da says mind yer cheek.
Gaun in strange motors?
Whaur's yer heid?
Whit've ah said aboot gaun wi strangers?
N'ah says s'man roon n'air.
N'ma da says aye, n'at's whit you say!
Whit dae you ken?
Jist you walk hame.
A wee man in it!
Be waantin ye tae go
an see ees puppies next.
N'ah says hus ee got puppies?
N'ma da says Naw, an they never huv.
Onywey, it micht be a rabbit.
but you wullnae see it.
So dinnae you be gaun
in ony mair strange caurs
r'ah'll gie ye the back ae ma haun.
N'en, whin ah came oot the school
is motor stops, ini man says
m'oan you, ah'll gie ye a run hame.
N'ah says naw, ye wullnae.
N'ee says, ae ye stupit?
Git in, ah've no got aw day.
N'ah says spect ye've got a puppy.
N'ee says Sarah, ah'm yer daddy.
N'ah says aye, n'at's whit you say.
Ee skelpt ma lug!
N'ee says at's fur yer cheek.
Noo ye kin walk hame.

Spec ee hud a rabbit up ees jook.

Gordon: Refuge

She can't have a bath because of me.
Only has a shower or washes at the sink.
He held her under, one night,
I tried to stop him. He was too big.
When we left, the night before, he. . .
he went crazy. Tore her clothes off,
in the living-room. Said terrible things.
Called her. Names. Said she was
an ugly cow and . . . and stuff.
He made me sit on the sofa, stay
and listen. He walked round
and round and round, sneering. She
tried to cover up. He
slapped her, made her stand.
Made me stay. Even when she needed
the toilet. Wouldn't let her.
It ran down. He
wouldn't let me leave. My mum.
I didn't know what to do. The way she . . .
looked at me. Her face all . . .
I hate him. Wanted to
smash his face in. Hurt him back and . . .
and I didn't . . . move. Do anything. I was . . .
scared. I was too scared. I was
fourteen. Soon as I'm old enough
I'm going to get a gun and go
find him. Then it'll be his turn. Then
he can be the one who's scared.

Maggie: Ye Cannae Win

Felt grand drivin hame, brand new caur, latest gear.
An there's the street an the hoose, same as ever,
like ah'd never been awa. An thum aw pleased tae see me.
An no letting oan. Jist a groan fae ma Da whin he sees
ma new mini. An oor Sharleen pinchin ma froaks
though she kens fine she's faur too skinny fur thum.
An ma mither. Actin like she's seen a refugee.
Cookin a week's messages jist tae feed me this enormous
    lunch.
Onywey, ah thocht ah'd go oot fur a bit efter it.
An there's me, prood is Punch, feelin like a queen
an gaun ootae ma wey tae see an be seen.
Bit ah hud reckoned withoot ma mither.
Time ah gets back, she's aw in a dither.
"Wull ye think whit ye're daen. Ye're no hame five meenutes
an ye're oot there showin aff. Ur ye daft?"
"Daft is it," says I. "An whey's that?"
"Need me tae tell ye, oor Maggie," says she.
"Whit'll folk say. Dae ye no think ye're gettin above yersell?"
Well, ah hud a look up jist in case
bit ma heart sank aw the same fur ah felt in disgrace.
Ah'm stood there like a wean wi a burst balloon.
Ken, there's nane like yer ain fur bringin ye doon.
Ah wis right stuck fur words.
Bit that didnae last long. Ah said "Mither, ye're wrong.
Ah wisnae showin aff the wey that you mean.
Ah wis oot seein ma auld pals, fundin oot how they'd been.
Bit there's nowt wrang wi sayin 'Ah'm daen aw right.'
An ah don't give a shite fur whit folks'll think
jist cause ah'm no stuck ahint some kitchen sink,
or turnin tae drink, or takin drugs,
or gaun oot of a night muggin some auld wife
fur her life savins cause ah've goat nowt
an that's the only wey ah kin feel that ah'm owt special.
Or bein like Jock ower the back.
He thinks managin means staunin upright wi a skinfu ae beer
an success is bein able tae cheer the winnin team oan a
    Setterday.
Naw, naw. Ah'm prood ah've done mair.
Whit should make yer heart sair is seein folk roon here
feart tae staun up, feart tae strike oot. Feart even tae try.

68

They're aw ashamed tae aim higher cause they've been made
feel
they've nae right tae aspire tae onything better.
If they'd learned tae be prood ae whit they're good at
thersells,
they'd be mair generous whin ithers make guid.
Bit naebody's gaunae stoap me bein gled that ah did."
Weel, she faulded her airms, sniffs as if she's in pain.
"Maggie," she says. "Don't you ever sweer in here again."

Morag: Witchcraft

Craws getherin
an the mornin sky fair black wi burds.
Aw kinds, aw wheelin an turnin.
Roon an aroon an aroon.
As if the yirth jist winnae let thaim go,
nor hae thum sit.
Nae soond. Yit I hear.
It's in the air.
Stretched ower ticht the thinnin sky
micht crack an brek.
Oor freedoms, big an sma,
are ay bocht dear.

Biographical Note

Janet Paisley lives in Glen Village near Falkirk in central Scotland. Her home ground is five miles south in Avonbridge, her writing informed by village and small-town life and the landscape of hills, rivers, trees, quarries, mines and farms. Though her origins are Caithness Pict, Norse, West Highland and Border Scot, her birthplace in January 1948 was Ilford, Essex.

Raised with two sisters by a single-parent mother, telling stories, writing poems and plays was a childhood habit developed in a home filled with books where reading was the indoor entertainment. Her teaching career was interrupted by marriage, the births of seven sons, the death of one, and divorce.

Now a writer of twenty years standing, she has also spent the last fifteen raising her six remaining sons as a single parent. Her work is prolific and diverse, spanning all the disciplines and winning innumerable prizes and major awards. Internationally, her writing has been translated and published in Italy, Hungary, Poland, Russia and Mexico. Well-known throughout Scotland and abroad for her readings and performances in schools, communities and at literary events, she is a practising witch whose beliefs are pagan and she relaxes by sculpting with roots and driftwood, gardening and travelling the world.

Acknowledgements

This work includes monologues written for stage shows: *The Killing of Women, Stick; Back to Basics* (all Bread & Circuses); *Four Funerals & a Wedding, Saturday Night & Sunday Mournings;* extracted from plays: *Refuge, Deep Rising, Sooans Nicht;* published in *The New Makars, The Kist, Ye Ken, Scot Free, Scottish Poetry from Macgregor's Gathering, The Big Green Yonkley, Cutting Teeth;* Scottish Poetry video; *Scotland the Where* theatre revue; *Pegasus in Flight, Biting through skins; Images* video; from TV series: *Lit-Pops; Haud Yer Tongue; The Ken Fine show; Around Scotland; In Verse;* broadcast on radio: *Cover Stories, Poetry & Pop, Life and work of Janet Paisley.*

By the same author

Poetry: *Reading the Bones, Alien Crop, Biting Through Skins Pegasus in Flight;* video: *Images;* Fiction: *Wild Fire;* Film: *Long Haul;* Plays: *Refuge, Straitjackets, Winding String, Deep Rising, Curds & Cream;* & with Graham McKenzie: *Sooans Nicht, For Want of a Nail, Bill & Koo.*